Le peintre des parfums ❧ *The painter of perfumes*

Guy BÉGIN

Le peintre des parfums ❧ *The painter of perfumes*

Phyllis C. Yaffe, Ph.D.

Données de catalogage avant publication (Canada)

Yaffe, Phyllis Cohen, 1948-

Guy Bégin : le peintre des parfums = the painter of perfumes

Comprend un index
Texte en français et en anglais.

ISBN 2-9805775-0-2

1. Bégin, Guy, 1944- . I. Bégin, Guy, 1944- . II. Titre. III. Titre: Painter of perfumes.

ND249.B394A4 1997 759.11 C97-941349-4F

Canadian Cataloguing in Publication Data

Yaffe, Phyllis Cohen, 1948-

Guy Bégin : le peintre des parfums = the painter of perfumes

Includes index
Text in French and English.

ISBN 2-9805775-0-2

1. Bégin, Guy, 1944- . I. Bégin, Guy, 1944- . II. Title. III. Title: Painter of perfumes.

ND249.B394A4 1997 759.11 C97-941349-4E

Rédaction/Writing: Phyllis C. YAFFE, Ph. D. en histoire de l'art/ PH.D. History Art

Traduction/Translation: Jude DES CHÊNES

Révision linguistique/Linguistic Revision: Ginette TRUDEL, KAREN MUIR

Édition/Editing: COMMUNICATIONS SCIENCE-IMPACT

Maquette et mise en pages/Graphic Design: NORMAN DUPUIS

Photogravure/Photoengraving: COMPÉLEC

Impression/Printing: LA RENAISSANCE

ISBN: 2-9805775-0-2 – Guy Bégin

Dépôt légal – Bibliothèque nationale du Québec, 1997

Legal Deposit – Bibliothèque nationale du Québec, 1997

Dépôt légal – Bibliothèque nationale du Canada, 1997

Legal Deposit – Bibliothèque nationale du Canada, 1997

Imprimé au Canada/Printed in Canada

Diffusion:
Bégin Édition international
4727, boulevard de la Rive-Sud
Lévis (Québec)
G6W 1H5

Tél.:(418) 837-6055
1 800 463-2967

Fax: (418) 837-2449

http://www.mediom.qc.ca/~beging/

Première de couverture/Cover page: *Napa Valley Perfume II*

Table des matières / Table of Contents

PRÉFACE

Au cours de l'été 1993, j'étais à Montréal pour lancer ma nouvelle ligne de parfums sur le marché canadien. Sachant que le communauté artistique de Québec est réputée, mon épouse et moi avons pris le train pour Québec, après la conférence de presse, pour aller visiter quelques galeries. Tandis que nous nous promenions dans les rues pittoresques et pavées de Québec, errant d'antiquaires en galeries, mon regard a soudain été attiré par de très belles peintures impressionnistes florales à l'intérieur d'une de ces galeries. Tel le miel attire les abeilles, ces fleurs m'entraînèrent à l'intérieur de la galerie. Chaque tableau représentait un jardin enchanteur, si vrai et si séduisant que je pouvais presque sentir le parfum de ces fleurs. Le fait que la galerie n'était pas climatisée ne faisait qu'accroître la sensation d'être dans un jardin chaud et humide pendant une journée de plein été. Mes sens étaient exaltés parce que chaque peinture que je découvrais était encore plus belle que la précédente. Quelle sensation, quelle expérience !

Soudain, je remarquai le titre d'un tableau : *Parfum de Californie du Sud* (que mon épouse choisit ultérieurement pour notre maison), puis un autre : *Parfum de mon jardin, Parfum de ceci, Parfum de cela* ! Qui était ce peintre qui honorait *mon* monde, le monde des parfums ?

Veuillez comprendre mon intérêt si aigu car je suis compositeur de parfums et « peintre du dimanche ». J'ai cru entrer dans la troisième dimension ! Jamais, dans le passé, un artiste n'a peint des parfums. Les parfums ou les odeurs de fleurs ont souvent inspiré les grands musiciens ou écrivains comme Shakespeare, mais je n'avais vu ni même entendu qu'un artiste peintre s'était inspiré de son sens olfactif. Il fallait que je rencontre l'auteur de ces toiles impressionnistes, il fallait que je rencontre *Guy Bégin, le peintre des parfums.*

En octobre de la même année, à Los Angeles, j'ai finalement fait la connaissance de l'homme derrière ces toiles. J'ai découvert un homme paisible, passionné par son art et par les arts en général, passionné de la vie.

Il est assez extraordinaire que la même inspiration puisse conduire à deux destinées différentes, bien que souvent similaires. Les fleurs ont inspiré Guy à peindre et elles m'ont inspiré à créer des parfums. La similitude de nos professions et notre enthousiasme pour les arts ont été les catalyseurs de notre amitié. Guy est un *gentleman* énormément doué et très serein. Un homme très généreux qui communique sa joie de vivre à travers toutes ses peintures.

Ses somptueux festins de fleurs traduisent sa vision du monde et sa paix. Qui d'autre que Guy Bégin peut voir Central Park, à New York, tel qu'il le voit dans *Big Apple Perfume?*, calme et serein ! La vue de *Parfum du domaine* est si reposante qu'on voudrait s'asseoir sur une de ces chaises, pour le restant de nos jours, et déguster un verre de vin en provenance de cette bouteille sur la table. Lorsque j'ai vu pour la première fois, à Art Expo à New York, en 1995, le spectaculaire *Parfum du Nord-Est*, j'ai pu entendre le silence entourant le phare. Dans *Parfum de la Méditerranée*, je peux sentir la lavande, le thym, l'eau de mer si fraîche et toutes les autres fragrances découvertes pendant ma jeunesse dans le midi de la France. L'effet est si réel que chaque fois que je vois ce tableau, j'ai le mal du pays.

Comme l'a écrit l'écrivain anglais W. Somerset Maugham : « Chaque produit d'artiste devrait être une expression d'une aventure de son âme. » Je suis très honoré de vous inviter à un voyage dans le jardin de l'âme de Guy Bégin par l'intermédiaire de son livre et de ses peintures.

JEAN-PIERRE SUBRENAT
COMPOSITEUR DE PARFUMS

FOREWORD

In the summer of 1993, I visited Montreal to launch my newest line of perfume on the Canadian market.

Having heard about the Quebec City's famous art community, my wife and I decided to take the train there after the press launch, to visit some galleries. While meandering through the quaint cobblestone streets of the city, wandering from gallery to antique shop, my eyes were drawn to the beautiful impressionist floral paintings inside one of the stores. Like honey attracts bees, these flowers backoned to me from inside the gallery. On each canvas there was a captivating garden scene so real and so alluring, that I could almost smell the flowers. The fact that the gallery was not air-conditioned even heightened the sensation of a hot and humid garden on a mid-summer's day. My senses were elated because each painting I looked at was more beautiful than the next. What a rush, what an experience!

Suddenly, I noticed the title of one painting: "Parfum de Californie du Sud" (that my wife ultimately chose for our house), and then another: "Parfum de mon jardin", "Parfum de Ceci", "Parfum de Cela"! Who was this painter honouring *my* world, the world of perfume?

Please understand my intense interest. I am a creator of perfumes and a "Sunday" painter. I thought I had entered the Twilight Zone. Never in history had an artist painted perfume. Perfume and the scent of flowers have often inspired great musicians or writers such as Shakespeare, but I had never seen or heard of a painter who was inspired by his sense of smell. I had to meet the artist behind these impressionist scenes, I had to meet Guy Bégin, the "Painter of Perfumes", as he is called.

In October of the same year, in Los Angeles, I finally met the man behind the canvas. I found a gentleman, a man who was passionate about his art and art in general, and passionate about life. How amazing that the same inspiration could lead to two different, yet similar, paths in life! Flowers inspired Guy to paint, and flowers inspired me to create perfumes. The similitude of our professions and our enthusiasm for the arts were the catalyst for our friendship. Guy is a seriously talented gentleman who exudes serenity, a very generous man who communicates his *Joie de vivre* through his paintings.

His sumptuous floral feasts convey his vision of the world and his peace. Who, but Guy Bégin, can see New York City's Central Park as he sees it in "Big Apple Perfume"? – tranquil and peaceful! The sight of "Parfum du Domaine" is so relaxing that you want to sit in the chair on the canvas for the rest of your life sipping a glass of wine from the bottle on the table. When, at the New York Art Expo of 1995, I first saw the spectacular "Parfum du Nord-Est", I could 'hear' the silence surrounding lighthouse. In "Parfum de la Méditerranée", I can smell the lavender, the thyme, the fresh sea water and other delightful fragrances discovered during my youth in the south of France. It is so real that every time I look at it, it makes me homesick.

As the British author W. Somerser Maugham once wrote: "Every production of an artist should be an expression of an adventure of his soul", I am very honoured to invite you now to take a voyage into Guy Bégin's soul through his book and his paintings.

JEAN-PIERRE SUBRENAT
PERFUME CREATOR

Amalfi, Italie, 1985./Amalfi, Italy, 1985.

Guy BÉGIN

Les peintres rêvent d'illustrer la sensation physique de la fragrance. Par la couleur, la texture et la composition, ils veulent offrir à la vue les arômes subtils d'un marché exotique, les délicates nuances d'une floraison qui embaume l'air ou le parfum d'un zeste de citron qu'on presse. Malgré la difficulté d'une telle tâche, le défi reste relevable.

Peu d'artistes ont franchi avec plus d'aisance et d'élégance ce seuil olfactif que Guy Bégin, avec son style de peinture impressionniste. Ce n'est donc pas surprenant qu'il soit connu comme « le peintre des parfums ». L'art est une expression des émotions ainsi qu'une interprétation de la réalité. Comme tous les artistes, Guy Bégin perçoit le monde à travers une lentille très personnelle. Sa vision est unique et son œuvre est l'image d'une idée intérieure.

L'histoire de Guy Bégin

Guy Bégin est un homme heureux, un homme qui a vu ses rêves se réaliser. Né à Lévis, au Canada, le 2 mai 1944, de l'union de Rose-Aimée Caron et de Paul-Émile Bégin, il a commencé à vivre la vie dont il rêvait en 1985. Il a alors quitté le monde des affaires pour entrer dans celui des arts. Artiste autodidacte, il a décidé de faire ce qu'il a toujours voulu faire : peindre.

Il faudrait plutôt dire qu'il s'est mis cette année-là à peindre de façon professionnelle, lui qui, depuis l'âge de 17 ans, avait toujours maintenu des liens avec l'art. Par exemple, il a peint l'un de ses tout premiers tableaux d'après une carte de Noël, en 1961. *En souvenir de ma mère* montre un paysage d'hiver où l'on voit, dans le calme de la nuit, une maison au toit pointu couvert d'une épaisse couche de neige et entourée d'arbres noirs, un chemin sinueux menant à l'entrée de la maison et, à l'arrière-plan, la silhouette des montagnes. La mère de Guy aimait beaucoup cette peinture et, avant de mourir en 1975, elle l'a redonnée à son fils.

Painters dream of illustrating the physical sensation of fragrance. They want to use colour, texture and composition to convey the profuse aromas of an exotic market place, the delicate nuances of an aromatic blossom, or the scent of a squirt of lemon. Although such a task seems difficult and challenging, it is nevertheless possible.

Few artists have more exquisitely crossed into this olfactory threshold than Guy Bégin with his Impressionist style of painting. Small wonder he is known as *The Painter of Perfumes*. Art is an expression of emotions as well as an interpretation of reality. Guy Bégin sees, as do all artists, the world through a very personal lens. His vision is unique and his artwork is a subjective image of an internal idea.

The Guy Bégin Story

Guy Bégin is a happy man whose wishes have come true. Bégin was born the son of Rose-Aimée Caron and Paul-Émile Bégin, in Lévis, Quebec, Canada on May 2nd, 1944. Guy begun to fulfil his dream in 1985. He left the business world and entered an artistic one. A self-taught artist, Guy Bégin did what he always wanted to do—he started to paint.

Rather one should say, Bégin started to paint *seriously*, since he had actually been involved with art since he was seventeen years of age. An example of his earliest paintings is one which he copied from a Christmas card in 1961, *"En souvenir de ma mère"*, a serene night-time winter landscape showing a house with a steep pitched roof thick with snow, surrounded by dark trees, shadowy mountains close behind and a winding road leading up to the front entrance. Guy's mother loved this work very much, and before she passed away in 1975, gave it back to him.

De 1983 à 1985, Guy Bégin, toujours amateur, a peint abondamment, à la recherche d'un style qui lui appartiendrait en propre. D'août 1984 à juin 1985, il s'est joint à quatre autres artistes pour travailler dans un élégant et spacieux atelier à Cataraqui, une belle propriété avec un point de vue remarquable, au centre de terres boisées surplombant le fleuve Saint-Laurent. Une lumière généreuse entrant par les lucarnes et les grandes fenêtres baignait le vieil atelier centenaire.

La peinture, à Cataraqui, était une expérience collective destinée au partage de certaines idées, de certaines techniques, de matériel de travail et de participation à des fêtes mémorables. Travailleur réfléchi, Bégin peignait avec application au cours des fins de semaine et trois ou quatre soirs par semaine. Le calme et la sérénité qu'il connaissait alors lui donnaient des impressions de bonheur. Le travail de groupe lui a aussi servi d'école ; cependant, s'il appréciait la compagnie de ses collègues, il comprit l'importance pour lui de travailler seul. Dès avril 1985, la peinture était devenue une occupation à temps plein.

Guy Bégin ne se sentait quand même pas isolé. Il entretenait des liens avec Pierre Philippe, un peintre professionnel qu'il rencontrait régulièrement et qui lui servait occasionnellement de maître en lui montrant divers concepts techniques et qui, avant tout, l'encourageait à trouver sa propre voie. Bien que de tempéraments différents, les deux hommes étaient proches. Pierre était bohème, tandis que Guy était plus méditatif. Comme le dit Guy, « Pierre m'a aidé à trouver ma propre manière et a renforcé l'amour déjà fort que j'avais pour la peinture ».

À l'été de 1985, Guy Bégin a passé plusieurs mois en Europe, se déplaçant un peu partout, en continuant d'exercer son art. Partout où il est allé, il a visité des musées où il a observé le travail des maîtres et a appris d'eux. Il a surtout aimé les climats d'Italie et du Sud de la France. Depuis cette époque, Bégin éprouve une véritable passion pour les voyages.

Deux scènes de jazz, datant de 1987, ressortent comme un exemple particulier de son travail de cette période. *Le vieux jazzman* évoque l'atmosphère enfumée

From 1983 to 1985 Bégin, still an amateur, painted profusely as he searched to find his own unique style. Between August 1984 and June 1985, Guy Bégin joined with four other people in a spacious, elegant studio space at Cataraqui, a beautiful estate with a remarkable view surrounded by wooded fields and overlooking distant vistas of the St. Lawrence River. Inside the 100-year-old studio, generous sky lights and large windows flooded the room with light.

Painting was a communal experience of sharing some ideas, sometimes techniques, painting tools and partaking in memorable parties. Bégin was a reflective worker applying himself industriously in that studio on weekends and three to four nights a week. Bégin had a sense of calmness and serenity that overwhelmed him with feelings of happiness. Bégin also learnt from the group experience. He realized that as much as he enjoyed the company, he found it preferable and more productive to work alone. By April 1985, painting had become a full-time occupation.

Still Guy was not isolated, he contacted and met regularly with Pierre Philippe—a professional painter—who occasionally acted as tutor, demonstrating technical ideas and most importantly encouraging Guy to find his own way. They were close, notwithstanding a great temperamental difference between the two men. Pierre was a bohemian while Guy was more pensive. Nevertheless, as Guy explains: *"He helped me to find my way and enhanced my already strong love of painting."*

In the summer of 1985, Bégin spent several months in Europe, wandering about while painting. Wherever he went, Bégin visited museums where he painstakingly observed and learnt from the Old Masters. He was especially enamored by the climates in Italy and the South of France. From that time, Bégin developed a passion for travel that would never leave him.

Two jazz scenes both of 1987 stand out as a particular example of his work from this period. *"Le vieux jazzman"* evokes the smoky atmosphere found in the standard club. Here the air is multi-coloured with shades of red and blue and suggestions of spotlights shimmering through the dense atmosphere. Up-close

qui règne d'ordinaire dans les clubs. Ici, l'air se divise en strates multicolores avec des tons de rouges et de bleus et la lumière des projecteurs perçant la fumée dense. L'homme, dont la présence est en quelque sorte plus sentie que vue, porte un haut-de-forme. Il joue de la trompette, les joues gonflées, les lèvres pincées et les yeux à demi-fermés pour mieux maintenir sa concentration. On peut aussi sentir son rythme.

Au premier coup d'œil, *Un air rétro* est une peinture plus froide, empreinte de plus de retenue : sur une scène, quatre hommes qu'une lumière bleutée entoure en une série de cercles concentriques. Le personnage le plus rapproché, en costume noir, est assis sur une chaise droite, le corps un peu raide ; les joues grossies et les yeux vers le sol, il joue du saxophone. Derrière lui, un pianiste vu en demi-silhouette est penché au-dessus du clavier d'un piano noir. Entre eux, un microphone joue la sentinelle. On ne voit qu'en partie les deux autres musiciens dont l'image est coupée par le bord du tableau. Cette coupure des formes laisse non seulement deviner un prolongement spatial, mais encore une sensibilité à ce rythme de jazz qui s'étend et se répercute « au-delà de l'image ». De quelque manière, le jazz s'empare de vous. Son assemblage sonore brut va chercher chez l'auditeur son côté secret, caché. Le jazz donne envie de participer, de jouer d'un instrument. Il incite ardemment à « se tirer une chaise », à commander un autre verre et à laisser l'esprit errer librement.

En septembre 1987, un autre événement marquant est venu influencer Guy Bégin : sa rencontre avec le grand peintre québécois Alfred Pellan. Bégin est impressionné par le vieux maître, qui en retour s'intéresse sérieusement à lui. Pellan sonde les intentions de Bégin : « Qu'est-ce que tu veux vraiment faire ? » L'intensité de son attention donne de la confiance à Bégin ; de plus, Pellan l'encourage à exposer ses œuvres partout et aussi souvent que possible. « Ne t'inquiète pas, dit Pellan, il y en aura toujours pour critiquer, mais ils seront beaucoup plus nombreux à t'aimer. » Bégin écoute attentivement les conseils du grand peintre. Il prend alors des directions innovatrices, une décision qui redonne un coup de fraîcheur à sa nouvelle carrière. « J'ai alors su où je devais aller », affirme-t-il aujourd'hui.

the presence of the man is almost felt rather than seen. He is wearing a top hat, blowing his horn—cheeks swelling, lips pinching, eyes downcast in rapt concentration. We also feel his rhythm.

At first glance a cooler, more restrained painting is "*Un air rétro*". Four men are on stage with blue lights surrounding them in a series of concentric arcs. The closest figure wearing a black suit sits somewhat stiffly on a hard chair as he blows his saxophone, his cheeks swollen and eyes cast downward. Behind him a piano player seen in semi-silhouette is hunched over the keys of a black grand piano. Between them a microphone stands like a sentinel. Portions of two other players can be seen, cut off by the edge of the canvas. This abbreviation of the forms suggests not only an extension of the space but also an awareness of the jazz rhythm continuing and echoing somewhere "out of the picture."

Something about Jazz music is captivating. Its raw cacophony draws out a hidden side of the listener. It makes one want to join in and grab an instrument. It solicits another yearn to pull up a chair, order a strong drink and let the mind wander.

In September 1987, Bégin experienced another turning point. Bégin met and was influenced by the Quebec grand master, Alfred Pellan. He was impressed by the older painter who took a serious interest in him, probing deeply into Bégin's ideas: *"what do you want to*

Avec Pellan, 1987. / With Pellan, 1987.

Prenant à cœur le conseil de Pellan, en 1987, Bégin expose en solo au Château Mont-Sainte-Anne, à Beaupré, au Québec; à la Banque Nationale du Canada, à Lévis (Québec); à la Corporation des comptables en management accrédités et à la Corporation des administrateurs agréés, à Montréal (Québec), entre autres lieux.

Le bonheur et *Au-delà du visible* datent de cette période. Les deux huiles sont d'ailleurs typiques de cette époque dans la mesure où elles sont essentiellement de couleurs sombres, avec de petites zones de lumière contrastante.

Après sa stimulante rencontre avec Pellan et les expositions subséquentes, Bégin décide de poursuivre son perfectionnement sur la côte ouest des États-Unis. En janvier 1988, il part donc avec sa famille vers le soleil et la chaleur de la Californie, un déplacement qui provoque dans son style un changement immédiat et fondamental. Il travaille dehors, au soleil. Comme si la force et la puissance du soleil l'avaient tout à coup « frappé », le peintre tourne le dos aux couleurs sombres pour adopter les tons vifs et éclatants.

San Diego est si attrayant que Bégin prend la décision de passer l'hiver à travailler dans la région. Installé à La Jolla, il se met à peindre des scènes douces, aux teintes pastel, ainsi que des peintures florales. Une photo de 1988 montre Bégin dans son atelier, en train de mettre les toutes dernières touches au fond éblouissant qui se mêle harmonieusement aux fleurs orange d'une splendide nature morte de fleurs placées dans un vase rond, bas et de couleur pêche, avec deux oiseaux turquoises (le premier tableau qu'il a vendu en Californie).

Une autre photographie prise la même année souligne de façon manifeste son style « californien » : on y voit *Les fleurs du bonheur II* (122 cm x 76 cm), une œuvre représentant un chariot de fleurs. Dans cette composition soigneusement agencée, la grande roue de l'avant-plan est contrebalancée par l'arceau du toit du chariot. Entre les deux et au premier plan l'équilibre est maintenu par l'étalement de fleurs en pleine maturité. Le style de Guy Bégin venait d'atteindre sa pleine maturité.

do?" Pellan's intense attention to Bégin gave him confidence as the older artist stressed the importance of exhibiting his work, as often and as widely as possible. Do not worry, Pellan encouraged Bégin *"some people will always criticize, but many more will love you."* Bégin paid close attention to the expert's advice. This guided Guy Bégin to seek out innovative directions—a decision that launched a fresh level of intensity of his new career. *"I knew where I need to go,"* he asserted.

Taking Pellan's advice to heart, in 1987 alone, Bégin held exhibitions at the Château Mont Sainte-Anne in Beaupré, Quebec, the National Bank of Canada in Lévis, Quebec, the Corporation of Charted Management Accountants and the Corporation of Charted Administrators, in Montréal, Quebec, among others.

Two oil paintings dating from this period are *"Le bonheur"* and *"Au-delà du visible"*. Both works are characteristic of this time in that they mainly consist of dark tones with smaller contrasting areas of light.

After the invigorating experience of meeting Pellan and holding the exhibitions, he decided to investigate North America's west coast. In January 1988, Bégin and his family departed for California with its sunny climate. This brought an immediate change in Bégin's style. From darker colours, his palette suddenly underwent a transformation, becoming brighter, as he worked outside in the sunshine.

San Diego was so appealing that Bégin decided to spend his winter working in the surrounding area. Based in La Jolla, he began painting soft, pale pastel scenes and an increasing number of floral works. A photograph dated 1988 shows Bégin at work indoors in his studio; there, he is adding a few final touches to the dazzling background that blends into the orange blossoms of a splendid still life of flowers set in a low, round peach vase with two turquoise birds. This was the first work he sold in California.

However, it did not take long before Bégin's art underwent a fundamental change. It was as if the force and power of the sun had suddenly 'hit' him. Bégin transformed his style from dark tones to bright and vivid hues.

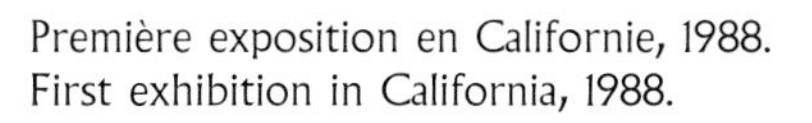
Première exposition en Californie, 1988.
First exhibition in California, 1988.

Le succès de l'expérience en Californie se manifeste par l'entrée de Bégin dans quelques galeries de Laguna Beach et de La Jolla. Sur une photo montrant sa première exposition en Californie, on aperçoit un groupe de personnes, incluant à l'avant-plan sa femme Danielle Renaud et sa fille Karine ; on voit ces gens qui bavardent, installés bien à leur aise sur une terrasse où ils admirent des toiles de Bégin autour d'eux. L'éclat du jour complète chaleureusement les tons pastel des tableaux.

Guy Bégin est rapidement devenu un peintre de réputation internationale. Des articles et des publicités à son sujet ont paru dans de nombreux magazines d'art au Canada, aux États-Unis, ainsi qu'au Japon et en Europe. Son inspiration prend sa source dans les endroits qu'il visite, en Italie, en France, au Canada et aux États Unis.

Chez l'oncle Sam, Bégin expose dans de nombreuses villes dont Boston, New York, Pittsburgh, Palm Beach, Los Angeles. Au Pays du Soleil levant, il est représenté par Sanwa Corporation.

En 1989, Bégin décide d'explorer l'idée de tirer des versions imprimées de ses œuvres. Il commence donc par produire des sérigraphies, puis ajoute des lithographies. Chaque tirage est limité à un nombre raisonnable d'impressions (habituellement entre 100 et 275 copies) numérotées et signées. Bégin continue de viser la plus grande qualité possible d'impression. Pour ce faire, il choisit Pierre Auger, un des meilleurs sérigraphes du Québec, qui atteint la même précision avec un nombre élevé de passages (parfois jusqu'à 90 par tirage). Les couleurs obtenues sont riches et brillantes. La première sérigraphie qu'ils ont réalisée : *Parfum de bonheur*, un ensemble de bouquets placés dans des pots installés sur

Another snapshot of 1988 demonstrates this 'California' style: this is evident in *"Les fleurs du bonheur II"*, a 48" x 30" work displaying a white flower cart. This carefully planned composition presents the large circular wheel in the foreground balanced by the arch of the cart behind. Between them and in front of the wagon this round form is balanced by the spread of flowers with their circular blossoms. This was the beginning of Bégin's mature style!

The immediate success of Bégin's California experience is evident in the rapidity with which he displayed his canvases. A photograph shows Bégin's first exhibition in California depicting a group of people, including his wife, Danielle Renaud, and Karine, his daughter, in front. They are seen comfortably chatting and standing on a terrace admiring canvases by Bégin that surround them. The brightness of the day wonderfully compliments the pastel hues in the paintings.

Bégin quickly became a painter with an international reputation. Articles and advertisements related to Guy Bégin surfaced in many art magazines in Canada, the United States, as well as in Japan and Europe. His subjects, too, were and continue to be selected from diverse locations: Italy, Canada, the United States and France to name just a few.

In the United States, Bégin exhibits his art in New York, Boston, Palm Beach, and Los Angeles, among many other cities. In addition to exhibiting his paintings from coast to coast in the United States, Bégin is represented in Japan by a large Japanese Corporation.

In 1989, Bégin decided to explore the idea of introducing prints of his art. He launched the notion by first producing serigraphs also known as silkscreen prints, then offering lithographs. Each printing was restricted to a very reasonably numbered, limited, and signed edition, usually between 100 and 275. Bégin always strives to achieve the highest quality. He selected Pierre Auger, one of the best serigraph printers in Quebec. As well, the same precision is achieved in the extensive number of hues employed per print, sometimes as high as ninety. The results are richly coloured and vibrant. The first serigraph to be edited was based

un rebord de fenêtre. À l'arrière-plan un feuillage jaune et, dans le lointain, un coin d'océan, sont inspirés de l'île de Nantucket.

Bégin voyage partout dans le monde, créant des sérigraphies aux noms évocateurs comme *Parfum de Portofino* et *Parfum de Stresa*, ou sa lithographie *Parfum de Saint-Rémy-de-Provence*. Suit, plus tard, une série en treize pièces intitulée « Symphonie de fleurs ». Aujourd'hui, Bégin a 58 éditions de sérigraphies à son actif.

Une de mes sérigraphies préférées est *Parfum d'une soirée de gala*. Elle est formée de trois images : une pièce maîtresse en grand format et deux autres plus petites à la verticale. Ce sont trois scènes de café inspirées par le restaurant *Il Teatro*, du *Théâtre Capitole*, à Québec. On y découvre une architecture imposante, ornée d'arches ouvertes qui contrastent avec les nappes perlées et les parasols. Les fleurs, les vêtements aux couleurs vives des femmes et les costumes des hommes, tout comme les garçons de table avec leurs petites vestes et leurs plateaux, embellissent la scène. L'éclat des étoiles dans le ciel et le scintillement des lumières de couleur donnent de la vitalité à la nuit.

Même lorsqu'il consacrait de longues heures à la sérigraphie et à la peinture, Bégin se sentait attiré par les marchés d'art les plus actifs. Il souhaitait participer aux grandes expositions ArtExpo de Los Angeles et de New York. Cette dernière, avec tout le tintamarre qui l'accompagne, est considérée comme la plus grande du monde. Il est certain que présenter des œuvres dans ces expositions est, à coup sûr, un indice de grand prestige. Les organisateurs ont été impressionnés par la peinture de Bégin *Big Apple Perfume* de 1994 et ils l'ont choisie parmi les œuvres de 5000 autres artistes représentés à ArtExpo pour l'affiche officielle de 1995. Cette affiche a reçue une forte publicité et a été exposée partout. Ce qui a tôt fait d'attirer l'attention sur Bégin et de lui fournir une source de contacts inattendus ; les médias ont découvert l'artiste et ont parlé abondamment de lui.

En 1990, alors qu'il exposait à ArtExpo, à New York, Bégin a été introduit dans deux nouveaux marchés d'importance : l'Europe et le Japon. Des gens de la

on *"Parfum de bonheur"*, showing a cheery group of potted flowering plants set on a window sill before yellow-leaved trees and a distant view of the ocean inspired by a trip to Nantucket Island.

As Bégin travelled throughout the world, he produced exciting prints with names like *"Parfum de Portofino"*, *"Parfum de Stresa"*, and the lithograph *"Parfum de Saint-Rémy-de-Provence"*. Later, a thirteen-piece series called *"Symphonie de fleurs"*, followed and it is now published in 58 editions of serigraphs.

One of my favourite serigraphs is the cycle entitled *"Parfum d'une soirée de gala"*. Consisting of three prints, one has a larger image size and the other two, a slightly smaller and vertical format. All are enchanting café scenes inspired by the restaurant *Il Teatro* of the *Theatre Capitole* in Quebec City which is a massive structure studded with open arches. Contrasting with this are the pearly tablecloths and umbrellas. Flowers, brightly coloured garments of the women and suits of the men, together with the waiters with their light jackets, and trays all embellish the scene. The sparkle of the stars in the night sky and splatters of coloured lights enhance the vitality of the evening.

Even as he worked hard creating innovative paintings and prints, he was drawn to the most active art markets. Art expositions, such as the immense *ArtExpo* expositions in Los Angeles and New York attracted Bégin. The exhibition in New York, with all the fanfare that accompanies it, is considered the biggest in the world. Certainly, presenting in these exhibitions is a indication of great prestige. The organizers were so taken by Bégin's entry into a contest for the main promotional print, based on a 1994 painting, that they chose a Guy Bégin from among 5,000 other represented artists. The *"Big Apple Perfume"* was given much publicity and widely displayed. The publicity drew attention to Bégin. As a result of Bégin's New York experience, unexpected contacts happened, with more and more media coverage, as Bégin discovered.

In 1990 while exhibiting at the *ArtExpo* in New York, Bégin was introduced to two important new markets—the European and the Japanese. A large

grande société japonaise Sanwa Corporation avaient aimé son travail et souhaitaient le représenter. La Sanwa a décidé de commanditer une tournée de six expositions solos au Japon; Bégin y a été présenté dans les galeries de Tokyo, Nagoya, Yokkaichi ainsi qu'à Kobé et Fukuoka. Une photographie de 1991 fait voir Bégin posant à côté d'une collectionneuse devant un magnifique étalage de ses tableaux. Les caractères japonais qui accompagnent les pièces exposées signifient « Bégin ». Il est maintenant très bien connu au Japon et ses tableaux y sont appréciés comme partout ailleurs.

Les galeries de Québec

La première galerie à avoir représenté Bégin dans la région de Québec a été la Galerie d'art Diane Lefrançois, située rue Maguire, dans la ville de Sillery. Dans la vitrine de la galerie, une toile de Bégin qu'il est impossible de ne pas remarquer. Puis, en entrant dans l'élégante et accueillante salle, on est frappé à la vue d'un magnifique jardin aquatique (de 142,4 cm x 91,4 cm) intitulé *Morning Reflections Perfume*. Cette grande peinture à l'huile semble rafraîchir l'atmosphère et nous transporte dans le temps et dans l'espace. Puis, sur un mur latéral, un véritable bijou d'aquarelle: faite sur le papier à en-tête d'un hôtel, elle fait ressortir et intègre le nom de l'hôtel à l'intérieur du motif. Quelle délicieuse surprise!

Au Petit-Champlain

La galerie-boutique que possède Patrick Bégin, le fils de Guy, est située au cœur d'une vieille partie de Québec aux rues étroites et sinueuses et aux boutiques attirantes; le Petit-Champlain est un quartier d'allure très européenne unique en Amérique. Dans la Galerie d'art Patrick Bégin, un écran vidéo présente Guy Bégin qui flâne dans les rues de Québec, travaille dans son atelier et imprime ses sérigraphies, sur une trame sonore de Vivaldi.

La boutique offre une collection de cadeaux triés parmi les œuvres de Guy Bégin: de grandes chandelles, des napperons, des « babillards » décoratifs, des tapis de souris, des sous-verres, des aimants ornementaux, de la papeterie (y compris des blocs-notes et des cartes de souhaits), des sacs à cadeaux, des porte-sachets de thé

Japanese enterprise, the Sanwa Corporation, liked his art very much and was interested in representing Bégin. They ultimately sponsored a dynamic tour of six one-man shows in Japan—which took Bégin to galleries in Tokyo, Nagoya, Yokkaichi and others in Kobe and Fukuoka. A 1991 photograph shows Bégin posing beside a collector in front of a vibrant display of his paintings. The Japanese writing on the exhibit behind this means Bégin in Japanese. Now he is very well-known and his paintings are loved in Japan as they are elsewhere.

The Galleries In Quebec City

The first gallery that represented Bégin in the Quebec City area is the *Galerie d'art Diane Lefrançois* located on rue Maguire, in Sillery. On approaching the gallery, one immediately sees a distinctive Bégin canvas prominently displayed in the window. On entering the elegant and gracious space, one is suddenly confronted with a magnificent 60" x 36" watery landscape called *"Morning Reflection Perfume"*. This large oil painting has a startling fresh atmosphere that seems to transport the viewer to a distant time and place. Then, on a side wall, is an unexpected "jewel"; a watercolour on hotel stationary showing and integrating the institution's name with the design. What a delightful surprise!

Au Petit-Champlain

Bégin's gallery and boutique owned by his son Patrick, is located in the heart of Quebec City where the charm of the old city is tucked among narrow, winding side streets and engaging boutiques. *Galerie d'art Patrick Bégin* is situated in the Quartier Petit-Champlain, a continental section with a distinctive European flavour. Inside, a video monitor plays a tape showing Bégin strolling through the streets of Quebec City, at work in his studio and busy printing his serigraphs, with Vivaldi's classical melody echoing in the background.

The boutique offers a collection of gift products chosen from Bégin's art including pillar candles, placemats, decorative message boards, mouse pads, coasters, ornamental magnets, stationary containing note and greeting cards, gift bags, and tea bag holders with matching spoons and a collection of plates, produced in a limited editions of 500.

avec les cuillères assorties ainsi qu'une collection d'assiettes, dont les tirages sont limités à 500 exemplaires.

Des tableaux enchanteurs de Bégin ornent les murs. *Parfum de la Beauce II* répand une profusion de fleurs jaunes qui remplissent un champ baigné de soleil et s'étalent presque à l'infini. Près d'une porte, une toile étroite, la *Symphonie de fleurs* (20,3 cm de haut sur 76 cm de large) révèle une délicieuse et sereine nature morte. Guy Bégin décrit la difficulté que lui a occasionnée la création d'un équilibre dans ce format étroit. Karine, sa fille et aussi la directrice de la boutique, montre un autre tableau, placé sur un chevalet près d'un mur et qui représente une scène de café.

Il arrive parfois à Guy Bégin de sortir avec son chevalet et de se mettre à peindre dehors, dans la rue, pour le plaisir d'offrir une performance devant la galerie. Les curieux se massent à mesure que Bégin recrée la magie de l'atmosphère chaleureuse de Québec sous leurs yeux. Les touristes, à qui on rappelle ainsi les lieux qu'ils ont visité, se pressent, curieux, interrogateurs.

Il avoue toutefois préférer peindre seul préservant ainsi son procédé de création et la concentration nécessaire à son travail. Le contact avec les gens lui est cependant essentiel une fois l'œuvre terminée.

Bégin Édition international

Le fils de Guy, Patrick, est titulaire d'un baccalauréat en marketing. En 1991, quand il étudiait encore à l'Université Laval, il a lancé sa propre entreprise pour mettre en marché une partie des œuvres de son père. Il s'est appliqué à développer les nombreux produits fondés sur des représentations de peintures de son père et à en accroître les divers marchés en vendant des sous-produits de ces œuvres. Sa firme fabrique, assemble, emballe et expédie des produits dérivés des tableaux de Bégin. On y trouve une collection de phares qui attire particulièrement les grands amateurs de navigation et de voile. Patrick parcourt avec enthousiasme le Canada et les États-Unis, en rencontrant des gens et en faisant la promotion des peintures de son père.

Enchanting paintings by Bégin adorn the walls. One displays a splash of yellow flower blossoms which fill a sun-drenched field in *"Parfum de la Beauce II"*, and which recede, into the far distance. Beside a door, a narrow canvas *"Symphonie de fleurs"*, stretches out its full 8" x 30" length revealing a delicious and serene still life. Bégin describes how creating the balance in this narrow format presented a challenge. Karine, Bégin's daughter and director of the boutique, points out an additional canvas revealing a café scene resting on an easel against another wall.

Sometimes Guy Bégin will set up his easel and start to paint, performing a kind of street-theatre in front of the gallery. Watchers gather as Bégin recreates the panoply of the exciting Quebec City scene before their eyes. As the tourists are reminded of the places they have visited, they crowd closer, curious, asking questions.

Although Bégin likes to interact with the public more than he does working alone in the studio, he finds that talking to people interrupts his concentration. He is also somewhat shy of exposing his inner creative process, for while Bégin is at work he focuses deeply on the task at hand.

Bégin Edition International

Bégin's son, Patrick, holds a B. A. in Marketing. In 1991, when he was still studying at Université Laval, he started his own company which published part of his father`s work. He directs his talent to developing the numerous products based on Bégin's images and in expanding the various markets. His company makes, assembles, packs and ships products connected with Bégin's art. This includes putting together a collection of *Lighthouses* which notably draws boating and sailing enthusiasts. Patrick energetically travels throughout Canada and the United States setting up appointments, meeting with people and promoting Bégin's works.

Guy Bégin croit en « un minimum de commerce et un maximum d'art ». Il ne veut pas se mêler de l'aspect commercial du travail de son fils. Quand Guy voyage, par exemple dans le Maine, il aime parler aux gens, mais il ne fait et ne fera pas de vente; c'est le travail de Patrick. Guy a découvert que le public veut rencontrer l'artiste, voir « comment c'est fait ». Les gens sont curieux et ont le goût d'en apprendre plus sur l'art, sur le sien en particulier.

L'atelier au Québec

Le lieu de création de Bégin, quand il est au Québec, c'est son atelier. Installé sur la rive sud du fleuve Saint-Laurent, l'endroit est lumineux et aéré, avec un foyer et de larges fenêtres surplombant un jardin fleuri et une piscine. On a soudainement envie de sortir sur le spacieux balcon pour mieux apprécier ces divers points de vue qui nous rappellent plusieurs peintures exposées au Petit-Champlain. À travers les toiles blanches, intactes, terminées ou à peine ébauchées, des pots de peinture, des pinceaux, des spatules sont soigneusement rangés dans la belle salle de travail.

L'atelier de West Palm Beach

Le désir et le besoin d'inclure des fleurs dans ses compositions exigeait de Bégin qu'il dispose d'un endroit où il puisse voir des plantes en fleurs toute l'année. Il a contourné cette difficulté en s'organisant pour passer les mois d'hiver en Floride. Il y a trouvé une paisible villa de style méditerranéen sur les rives d'un beau lac. Ce lieu l'a toujours inspiré. Il aime peindre le matin et fréquenter ses amis dans l'après-midi. Il a besoin de l'énergie du soleil, de la vue des teintes tout en douceur et du parfum des fleurs.

La première chose qu'il fait quand il retourne en Floride, c'est de chercher des fleurs fraîchement coupées pour décorer la maison. C'est un réel besoin et, pour lui, c'est aussi essentiel que l'air !

Guy Bégin believes that *"the less business, the more art"*—which is what he wants to do. Bégin does not wish to concern himself with the business aspect of his son's work. When Bégin travels, as for example, as he does to Maine, he enjoys talking to people. But he will not sell—that is Patrick's job. Bégin has found that the public want to meet the artist, to see how *"it is done"*. They are curious and relish learning about art—Bégin's art.

The Quebec Studio

This is where much of the creativity takes place when Bégin is working in Quebec City. Located on the south shore of the St. Lawrence River, the space is light and airy with a fireplace on one side and views over the flower-filled garden, pool and distant vistas conspicuous from the large windows or, if one wishes to step outside, from the spacious balcony. Many of these scenes like those in the Petit Champlain district are reminiscent of painted views. Blank, untouched, finished and incomplete canvases and containers holding brushes, palettes and paints are carefully placed throughout the neat studio.

The West Palm Beach Studio

The requirement of including flowers in his composition, demanded that Bégin secure a location where he could see blossoms all year around. He solved this difficulty by arranging to go to Florida during the winter months. He found a peaceful "Mediterranean" villa located on a beautiful lake. This site has always inspired him. He loves to paint in the morning and fraternize with friends in the afternoon. He needs the sun, the view of the warm tones and the smell of the flowers to energize him.

The first thing he does every time he returns to Florida is to search out freshly cut flowers to display in his house. This is a real need—as essential to Bégin as air!

Dans son atelier de La Jolla, Californie, 1988.
In his studio in La Jolla, California, 1988.

Les peintures florales

La raison pour laquelle Bégin est appelé le « peintre des parfums » est que les fleurs dont il emplit ses tableaux semblent, contre toute raison, embaumer l'air d'un arôme divin. La vie sous le soleil inspire l'artiste, et ses couleurs expriment les plaisirs sensoriels de la nature. Les toiles de Bégin sont baignées de soleil et sont pleines de jardins, de quiétude, de détente.

En 1992, la Fragrance Foundation « découvre » Bégin, ainsi que le lien qui unit leurs produits sensuels aux bouquets peints par l'artiste. C'est le mariage entre le spectacle fleuri des peintures et un parfum de fleur. Cette union des sens donne une valeur ajoutée aux deux créations. À l'automne de cette même année, un article sur Bégin a été publié dans *Fragrance Forum*, la revue trimestrielle de la fondation. Intitulé « Scent and sight: the potent affinity of fragrance and art », l'article soulignait la puissante impression que constitue l'établissement d'un rapport avec l'art de Bégin. En 1993, le peintre a produit pour The Olfactory Research Foundation, le tableau d'une rose en fleur en gros plan, qu'il intitule *Rose-Aimée*, d'après le prénom de sa mère. Trois ans plus tard, en 1996, l'association inclut l'œuvre dans sa campagne de promotion dans les numéros de mai et juin de certains des plus importants magazines publiés et distribués aux États-Unis et dans d'autres pays.

Dans certaines peintures, les fleurs forment un vaste tapis de couleurs au premier plan. Bégin en remplit souvent autant les espaces rapprochés que les points de vue éloignés. Dans *Parfum de la Beauce*, les fleurs blanches, mauves et cramoisies dansent au vent, brisant le vert des gazons qui les entourent. À mesure que le

The Floral Paintings

There is a reason why Bégin is called *The Painter of Perfumes*. The flowers that Bégin inserts into his art illogically seem to fill the air with a heavenly aroma. For Guy Bégin, life under the sun inspires the artist, and his colours express the sensory pleasures of nature. Bégin's canvases are sun-drenched and focus on gardens, recreation and quietude.

In 1992, the Fragrance Foundation "discovered" Bégin and the link between their sensuous product and Bégin's painted bouquets. This marries Bégin's spectacle of flowers with a floral scent. This union of the senses enhances both creations. In the fall of that same year, an article featuring Bégin was published in the *Fragrance Forum*, the quarterly magazine of the Fragrance Foundation. Entitled *Scent and Sight: The Potent Affinity of Fragrance and Art,* the essay points out the powerful experience contained in making the connection with Bégin's art. In 1993, Bégin created a painting of a large rose blossom seen close-up, called *"Rose Aimée"* (after his mother's first name) for The Olfactory Research Foundation. Three years later, in 1996, they included this art work with their advertising campaign in the May and June issues of some of the most important magazines published and distributed across the United States, among other countries.

In some of these floral paintings, the flowers form a carpet of vast colours in the foreground. Bégin often complements near spaces with far distances. In *"Parfum de la Beauce"*, crimson, mauve and white flowers bob in the breeze and contrast with the green grasses around them. As the field stretches into the distance, the

champ s'étale au loin, les fleurs se font de plus en plus petites et se mêlent à d'autres champs verdoyants.

Dans certaines toiles, les fleurs sont toutes de la même variété alors que dans d'autres (par exemple la riche peinture à l'huile intitulée *Parfum de la ferme*), elles s'agencent dans une prairie bigarrée aux fleurs naissantes ou en pleine maturité de diverses teintes. Un autre type d'agencement nous fait voir un étourdissant éventail de fleurs, non pas en champ, mais placées dans un vase posé sur une table : *Le bonheur* présente des fleurs rouges écarlates sur fond de teintes bleutées chaudes et rafraîchissantes.

L'étonnant *Napa Valley Perfume II*, séduit l'observateur par sa composition. Le panorama à partir du sommet d'une colline est vraiment unique. Une table est mise avec élégance : sur la nappe, on voit les serviettes et une grappe de raisins bleus pulpeux et d'autres fruits. Une bouteille de vin et un verre plein du précieux breuvage des dieux font subtilement allusion au sujet du tableau, la vallée de Napa, célèbre région viticole de la Californie. Un grand bouquet d'éblouissantes fleurs blanches coupées trône au centre de la table. Cet agencement idyllique se marie avec le paysage de vignes soigneusement cultivées qu'on aperçoit dans la vallée ainsi qu'avec les collines bleutées qui s'étalent jusqu'à l'horizon sous un ciel tacheté de nuages.

Toutes ces peintures florales amènent l'observateur à les associer à de doux parfums. De fait, parfum et art sont des formes d'expression qui stimulent l'imagination. Les deux enrichissent ceux qui se soumettent à cette présence, leur jetant un sort qui les séduit. Tomber sous le charme d'un parfum extraordinaire ou d'un tableau superbe satisfait le côté sensuel, évocateur et créateur de la vie.

Le parfum et la vue ont le pouvoir d'évoquer, de suggérer, plus que d'énoncer. Les fleurs qu'on trouve dans les tableaux de Bégin jouent sur le psychisme et ont le pouvoir magique de déchaîner de puissants fantasmes personnels.

blossoms get smaller and smaller and meld with other lush fields of flaxen and green growth.

Sometimes the flowers are all of the same type, or in other canvases, the arrangement may be of a variegated meadow containing various shades of thriving and sprouting blossoms as in the luscious 1996 oil painting *"Parfum de la ferme"*. Another instance of a stunning array of blossoms, not in a field but arranged in a vase placed on a table, is evident in another type like "*Le bonheur*" which features scarlet red blossoms set against warm and cool shades of blue.

The stunningly seductive *"Napa Valley Perfume II"* in which the viewer surveys the vista from a hilltop is especially distinctive. There, an elegant table is set with a cloth, napkins, and interspersed with a bunch of plump blue grapes and other fruit. A bottle of wine and a goblet filled with the highly coveted red liquid subtly alludes to the subject of the painting: the renowned Californian wine-making centre, the Napa Valley. A large bouquet of dazzling white cut flowers rests in the centre of the table. This idyllic picnic is positioned in the midst of a field thick with tall, wild flowers. The gracious array contrasts with a landscape of finely cultivated vineyards conspicuous in the valley below and distant bluish hills poised on the horizon beneath an azure and cloud-speckled sky beyond.

All of these floral paintings bestow on the viewer a strong association with balmy scents. Indeed, fragrance and art are forms of expression that stimulate the imagination. Both enrich those who submit to them, weaving a spell that seduces. To fall under the magic of an extraordinary perfume or a superb painting is to satisfy the sensual, the evocative, and the creative side of life.

Both scent and sight have the power to evoke—to suggest more than stated. Flowers, when found in Bégin's paintings, play on the human psyche and have the magical power to unleash potent, private fantasies.

Tokyo International Art Show, avec une collectionneuse, 1991.

Tokyo International Art Show, with a collector, 1991.

Sentir est aussi fondamental que respirer. Le système olfactif est primordial et puise sa source dans une partie essentielle du cerveau. Un lien étroit existe entre les premiers souvenirs et la fonction olfactive. En fait, une odeur légère oubliée depuis longtemps peut raviver d'éphémères souvenirs d'enfance. La fragrance, même fugace, d'une fleur qu'on aime beaucoup et la vue de la même fleur peuvent susciter des associations voluptueuses. C'est le pouvoir du «peintre des parfums».

Les paysages

De la grande ville de Montréal au Québec rural, de la Floride à la Californie en passant par l'Europe, Guy Bégin est ensorcelé par des panoramas et des champs de fleurs aux couleurs brillantes, par l'eau et par la beauté qu'il voit partout. Il transcrit les scènes qu'il voit en couleurs lumineuses, vives et prenantes.

Bégin peint des paysages qui provoquent de puissantes réactions en lui. Certaines scènes le troublent et le touchent profondément. Mais il y a plus encore. Ce qu'on voit dans ses compositions florales est typique de Bégin. Il est poussé par le besoin d'inclure tous les sens dans ses peintures. Non seulement il sollicite l'œil mais, de plus, Bégin dépeint les odeurs qui flottent dans l'air, la caresse du vent qui souffle, le toucher de velours d'un pétale et, parfois, le goût d'un citron amer ou du raisin pulpeux, gorgé de sucre.

On en trouve des exemples dans beaucoup de ses œuvres. *Parfum d'un été de rêve* décrit la douceur d'un jour chaud que rafraîchit une brise qui souffle de la mer. On aimerait marcher le long des sentiers fleuris vers ce chalet au sommet de la colline qui donne sur une pelouse aux massifs floraux éclatants, sur fond de nuages blancs flottant au loin par-delà l'horizon. Plus près, sur le devant, une clôture aux piquets blancs montre ses pointes et les feuilles des arbres, soumises au vent, semblent faire entendre leur bruissement.

Smelling is as basic as breath itself. The olfactory nerves are primal, having their roots in a primitive part of the brain. These are essential links between early memories and the function of smell. In fact, a hint of a distinctive, long-forgotten scent could evoke fleeting childhood connections. Another whiff of a much-loved flower and the sight of the same blossom may stimulate voluptuous associations. This is the power of *The Painter of Perfumes*.

The Landscapes

From big city Montreal to rural Quebec, from Florida to California and throughout Europe, Guy Bégin is mesmerized by vistas and fields of brightly coloured flowers, by water, and by beauty everywhere. He transcribes the scenes before him into bright, vibrant and captivating colour.

Bégin paints scenes that evoke powerful reactions in him. Certain settings move and touch him deeply. But there is more than that. As in his floral depictions, Bégin is stirred to include all the senses in his paintings. In addition to sight, Bégin depicts the smells in the air, the feel of the wind blowing, the touch of a velvet petal and sometimes the taste of a sour lemon or a sweet grape left lying forgotten on a plate.

An instance of this can be found in many works. In one, *"Parfum d'un été de rêve"*, describes a warm, balmy day with a refreshing breeze blowing in off the ocean. One can walk along the flower lines paths toward the chalet set on a hilltop overlooking a lawn filled with bright flower blossoms with white puffy clouds sailing across the horizon. Closer to us, a charming white picket fence peeks out from the edge of the scene and leaves on trees rustle as they sway in rhythm with the wind.

Les jardins

Dans un autre tableau, *Parfum d'un jardin imaginaire*, un sentier sinueux passe à travers un jardin. De part et d'autre, un riche agencement de fleurs en plein épanouissement. Le petit chemin est marqué par les subtils tons mauves de l'ombre des pierres. Là où, dans une courbe, le sentier disparaît, une rangée de grands arbres droits se démarque. Des coins de ciel bleu percent leur ramure ; dans ce paysage pourtant calme, tout laisse deviner le mouvement.

Pour ces scènes de jardin, Bégin s'inspire de sa propre cour arrière, un jardin luxuriant qui change sans cesse, à mesure que les plantes croissent et mûrissent. Chaque année, Bégin repeint la scène qui s'offre à sa vue. Même quand il n'a aucun sujet à peindre, il regarde son jardin et y puise toujours quelque inspiration.

Les phares

Il y a dans les phares un mystère qui capte l'imagination et suscite une forte envie de voyager. Une mystique entoure les bateaux, les voiliers, la mer, les vagues rageuses, les voiles au vent, les amarres, les marins au teint hâlé.

Tous ces éléments s'amalgament dans les phares que peint Bégin. *Light in the Night Perfume*, une peinture de 1997, est une œuvre plutôt mystérieuse. Le célèbre phare Nubble repose sur une masse rocheuse, le cap Neddick. Comprenant un certain nombre de structures blanches et de toits rouges, la grande tour domine le panorama de son toit sombre qui s'oppose à la brillante lumière qui le coiffe. Le point culminant de ce tableau est le trio formé par le ciel nocturne, la lune et le projecteur du phare. Tous ces éléments semblent se faire concurrence ; l'impression de densité des lieux est donnée par ce qu'on pourrait appeler une nuée d'astres étincelants faisant écho à la lune et à la lumière. On sent que le calme et la tranquillité de l'endroit dégagent une énergie à peine réprimée qui s'apprête à briser cette quiétude nocturne. Bégin avait visité cet endroit pendant l'été, et comme il cherchait à voir l'emplacement de tous les angles possibles, il décida d'y jeter un coup d'œil à partir de la mer.

The Gardens

In another painting, *"Parfum d'un jardin imaginaire"* a winding path twists through a garden. A rich array of flowers bloom on either side. The trail itself is studded with the subtle mauve tones of shadows rippling across the stones. As the footpath disappears around a bend, a row of tall, upright trees appears. The blue sky weaves through the branches and even within this calm landscape, everything suggests movement.

The inspiration for these garden scenes is Bégin's own lush backyard which is always changing as the plants grow and mature. Every year, he depicts the scene before him. Even when Guy has no idea what to paint, he looks to his garden and always finds inspiration there.

The Lighthouses

There is a mystery to lighthouses that captures the imagination and stirs a kind of wanderlust. It is a mystique associated with boats, ships, the sea, waves splashing, sails rising, thick ropes being tied and swarthy sailors.

All these elements are captured in Bégin's lighthouse paintings. A particularly mysterious work is the 1997 *"Light in the Night Perfume"*. Located on a rocky hill known as Cape Neddick, this is the famous Nubble Lighthouse. Incorporating a number of white structures with red roofs, the tall white tower dominates the vista with its dark cap set against the brilliant light on top.

The climax of this painting is the trio of night sky, moon and beacon on the lighthouse. All seem to compete with the other—the heavens above are dense with what could only be described as a swarm of twinkling stars which echo the moon and light. For a still and quiet evening there, is an almost contradictory sense of barely suppressed energy about to shatter the tranquil night. Bégin went to this site during the summer months. Then, seeking to study the sight from numerous angles, he sailed to view it from the position of the sea.

L'atmosphère des phares passe par toute la gamme d'émotions, qui va du calme et du pittoresque (*Monhegan Island Perfume*, par exemple) à l'agitation qui trahit la puissance de l'océan. C'est le cas de *Pemaquid Point Lighthouse*, peint en 1996. Ici, la pointe qui couronne le phare semble percer un ciel très lourd. À l'avant-plan, des grosses vagues écumeuses viennent s'écraser contre les rochers. Il en résulte une sensation d'action et de tragédie imminente.

Les scènes de cafés

Guy Bégin adore la vie des cafés. Lui qui aime manger au restaurant est attiré par les scènes de cafés. Il se sent en vacances dès qu'il visite ce genre d'établissement. Comme il le dit lui-même, « c'est peut-être parce que je suis Latin ». Même l'été, quand il est à la maison, il vit à l'extérieur aussi souvent que possible.

La fascination pour le café est universelle. Quand il le regarde, il est subjugué par les parasols aux couleurs éclatantes, les garçons en tablier, les hommes en costumes sombres et les femmes aux robes de teintes vives. Il se revigore à la vue du balancement des longs cheveux d'une femme ou du mouvement qu'évoque la fumée d'un cigare. Aussi, chacun des fonds de scène a son propre charisme : un clocher d'église, un colisée, un endroit exotique. Nous voudrions tous être là pour relaxer et voir déambuler les passants. Ah ! qu'il est bon de faire partie de l'ambiance.

Bégin peint principalement des scènes d'extérieurs de cafés. Plusieurs d'entre elles montrent ce lieu entouré de charmantes boutiques aux auvents colorés, d'arbres au feuillage luxuriant et de fleurs, comme dans *Parfum du Petit-Champlain VI*. Parfois, les parasols qui protègent les tables et les petites touches de couleurs qui représentent les vêtements bigarrés des clients sont dans des teintes primaires particulièrement gaies, comme dans *Parfum de Québec*. Ces spectacles sont séduisants et invitants et, comme beaucoup d'œuvres de Bégin, ils incitent l'observateur à entrer dans la peinture et à prendre plaisir au décor.

The mood of the lighthouses vary from calm and picturesque, as in *"Monhegan Island Perfume"*, to agitated, showing the power inherent in the sea. The latter is the case in *"Pemaquid Point Lighthouse"* of 1996. Here the point atop the lighthouse seems to pierce the heavy, clouded sky. In the foreground, waves thick with foam crash against the rocks. The result is a sense of action and imminent drama.

The Café Scenes

Bégin loves the café life. He fancies eating outdoors and so is drawn to creating café scenes. Each time he visits such a place, it is like a vacation for him. The reason may be, as he explains: *"maybe it's because I'm 'Latin!'"*. Even when at home in summer he ventures outside as often as possible.

The Café is universal in its fascination. To look at it, there is an appeal of the sight of brightly coloured umbrellas, apron-clad waiters, men in dark attire and women in bright dresses. There is the invigorating sight of the toss of a woman's long hair or the suggestive flick of a cigar ash. And then, there are the backdrops, each of which has its own charisma: a church tower, a colosseum, an exotic location. We all want to be there to relax and watch the passers-by. Ah! to be part of the ambiance.

Bégin creates predominately outdoor café scenes. Many of these paintings are encircled by charming shops with dyed awnings, trees with lush foliage, and flowers as in *"Parfum du Petit-Champlain VI"*. Sometimes the umbrellas that shelter the tables and dabs of colours that portray colourful garments of the patrons are particularly cheery primary hues as in *"Parfum de Québec"*. These spectacles are most alluring and inviting and like much of Bégin's art summon the viewer to enter the picture and delight in the setting.

Le procédé de création de Bégin

Vous vous demandez peut-être comment Bégin commence à travailler quand il est devant une toile blanche. Il prend d'abord une série de photographies de son sujet. Puis, il examine de près ces instantanés en fixant graduellement son attention sur deux, trois, quatre ou cinq d'entre eux, desquels il s'inspire pour orienter le travail à venir. Ensuite, à mesure qu'il se concentre sur la composition qu'il souhaite, Bégin réinvente petit à petit les éléments qui l'intéressent.

Bégin commence par couvrir entièrement sa toile de peinture acrylique. Ce n'est qu'après avoir complètement arrêté l'image qu'il se met à retravailler la même toile, cette fois à l'huile. La raison derrière cette technique inhabituelle : améliorer la richesse des textures et l'éclat des couleurs.

Dès lors qu'il a entrepris la peinture, il ne retourne jamais aux photographies, sinon aux petites portions des photos qu'il a appréciées et qu'il combinera par la suite sur la même toile. Il cherche à saisir cet aspect intangible de la nature qui est invisible mais très réel. Bégin sait qu'il est important de peindre ses impressions plutôt que les véritables objets. Cette qualité difficilement définissable véhicule les fortes émotions et les puissantes sensations qui caractérisent l'œuvre de Bégin.

Le peintre n'est que trop conscient du fait que l'univers de la perception est compliqué. Il ne cherche qu'à s'emparer de l'image précise, quoique indéfinissable qui détend et qui transpose chez l'observateur une manière de voir empreinte de réflexion.

Le talent de Guy Bégin reflète l'état d'esprit d'un artiste pleinement satisfait; les tons riches et son style impressionniste rendent sa façon gaie de voir les choses. Comme il l'a si bien dit : « Je peins ce que j'aime pour aimer ce que je peins. »

(Traduit de l'anglais par Jude Des Chênes)

Bégin's Creative Process

When faced with a blank canvas, one may wonder: "How does Bégin start?" Bégin first will take a series of photographs of his prospective subject. Then he will look closely at these snapshots narrowing his sight on two to five pictures and evolving a sense of inspiration for the work to come. As he concentrates his focus on the prospective composition, Bégin will gradually re-create the elements.

First, Bégin entirely covers his canvas with acrylic paint. Only after the image is completely stated, will Bégin rework the same canvas, this time using oil paint. The reason for this unusual technique, is to enhance the richness of the textures and brightness of the colours.

Once he starts to paint, Bégin will not look at the photographs again. He will take only those parts of a snapshot that he appreciates, and will combine them in the same picture. He strives to capture an intangible aspect of nature that is invisible, but very real. Bégin knows it is important to paint his feelings rather than the subjects themselves. This elusive quality conveys the strong emotions and powerful sensations that characterize Bégin's art.

He is only too aware that the realm of perception is a complicated one. Bégin strives to capture the precise, indefinable image that relaxes and transfers a refletive cast of mind to the viewer.

Guy Bégin's talent reflects the artist's truly contented state of mind and his rich hues and Impressionist style echoes his cheerful outlook. As Bégin has stated: *"I paint what I love in order to love what I paint."*

1997 Phyllis C. Yaffe, Ph.D.

Guy Bégin

Guy Bégin est né à Lévis, Québec, Canada, le 2 mai 1944. Artiste autodidacte, il s'adonne à la peinture depuis 1961. En 1985, un voyage de plusieurs mois en Europe l'entraîne dans divers pays qu'il visite et où il peint; mais c'est le sud de la France et l'Italie qui l'inspirent le plus. En 1987, son goût pour le voyage l'attire cette fois en Californie, et c'est le coup de foudre pour cette région de la côte ouest, véritable moteur de la création. Il décide de vivre et de travailler tout l'hiver 1987-1988 à San Diego.

La vie sous le soleil de la Californie inspire beaucoup le peintre et ses tableaux de multiples couleurs reflètent le bonheur. Qu'elle représente des natures mortes, des scènes de jardins ou des vacances, sa peinture, bien vivante, exprime la joie de vivre et la paix intérieure de l'artiste.

On retrouve les œuvres de Guy Bégin dans plusieurs galeries du Québec et des États-Unis, de même qu'au Japon où il jouit maintenant d'une très grande popularité.

Il est de plus en plus connu comme « le peintre des parfums ».

Expositions solos

1997 ArtExpo, New York, New York, États-Unis
Galerie d'Art Patrick Bégin, Québec, Canada
ArtExpo, Los Angeles, Californie, États-Unis

1996 ArtExpo, New York, États-Unis
ArtExpo, Los Angeles, Californie, États-Unis

1995 Reconnaissance officielle
Affiche officielle ArtExpo de New York, 1995
ArtExpo, New York, États-Unis
International Autumn Fair, Birmingham, Angleterre
ArtExpo Las Vegas, Nevada, États-Unis
The Long Island Art Fair, Long Island, New York, États-Unis
Salon des Galeries d'Art du Québec, Montréal, Canada

1994 ArtExpo, New York, New York, États-Unis
Cobblestone Gallery, La Fayette, Louisiane, États-Unis
ABC Show, Atlanta, Géorgie, États-Unis
ArtExpo Las Vegas, Nevada, États-Unis
Hight Point Market, Hight Point, Caroline du Nord, États-Unis

1993 ArtExpo, Anaheim, Californie, États-Unis
ArtExpo, Chicago, Illinois, États-Unis
Galerie « La Baie », Montréal, Québec, Canada
Galerie Diane Lefrançois, Sillery, Québec, Canada
Pierre B. Fine Art, « Chez Pierre », Montréal, Québec, Canada
ArtExpo New York, New York, États-Unis
Tokyo International Art Show, Tokyo, Japon

1992 Langdon Art Works, Dobbs Ferry, New York, États-Unis

Limited Edition Expo, Charlotte, Caroline du Nord, États-Unis

Ginza Kanematsu Hall, Tokyo, Japon

Kintetsu Department Store, Yokkaichi, Japon

Atelier Hirata, Grand Hotel, Fukuoka, Japon

Nihon Gallery, Nagoya, Japon

Gallery Yubido, Tokyo, Japon

Gallery Nishimura, Kobe, Japon

James Hunt Barker Gallery, Nantucket, Massachusetts, États-Unis

ArtExpo, Los Angeles, Californie, États-Unis

ArtExpo, New York, New York, États-Unis

Tokyo International Art Show, Tokyo, Japon

Toronto International Art Exhibition, Toronto, Ontario, Canada

1991 James Hunt Barker Gallery, Nantucket, Massachusetts, États-Unis

ArtExpo, Los Angeles, Californie, États-Unis

ArtExpo, New York, New York, États-Unis

Tokyo International Art Show, Tokyo, Japon

Paris Atelier d'Art Show, Paris, France

1990 La Jolla Festival of the Arts, La Jolla, Californie, États-Unis

ArtExpo, Los Angeles, Californie, États-Unis

ArtExpo, New York, New York, États-Unis

Paris Atelier d'Art Show, Paris, France

1989 Gala, Galerie d'Art, Trois Rivières, Québec, Canada

ArtExpo, Los Angeles, Californie, États-Unis

ArtExpo, New York, New York, États-Unis

Robertson Gallery, Beverly Hills, Californie, États-Unis

1988 Galerie McKinnon & Piché, Lévis, Québec,

Banque Scotia, Sainte-Foy, Québec, Canada

The Athenaeum, Music & Art Library, La Jolla, Californie, États-Unis

1987 Château Mont Sainte-Anne, Beaupré, Québec, Canada

Banque Nationale du Canada, Lévis, Québec, Canada

La Bourse d'œuvres d'art de Montréal, Montréal, Québec, Canada

Corporation des comptables en management accrédités, Montréal, Québec, Canada

Corporation des administrateurs agréés, Montréal, Québec, Canada

Guy Bégin

Guy Bégin was born in Lévis, Quebec, Canada, on May 2nd, 1944. He is a self-taught artist who began painting in 1961. In 1985, he lived in Europe. He travelled and painted in many countries, but it is the south of France and Italy that inspired him the most. In 1987, he visited California and loved it so much that he decided to live and work in San Diego during the winter of 1987–1988.

Life under the sun gave inspiration to the young artist and his colours exude happiness. His sun-drenched canvases focus on gardens, leisure, recreation and quietude.

His work may be seen in galleries in Quebec and the United States as well as in Japan where he is currently very popular.

He is becoming more widely known as "the painter of perfumes".

Solo Exhibitions

1997 ArtExpo, New York, New York, U.S.A.
Galerie d'Art Patrick Bégin, Québec, Canada
ArtExpo, Los Angeles, California, U.S.A.

1996 ArtExpo, New York, New York, U.S.A.
ArtExpo, Los Angeles, California, U.S.A.

1995 Official Recognitions Awards
Official Poster, ArtExpo of New York, 1995
ArtExpo, New York, New York, U.S.A.
International Autumn Fair, Birmingham, U.K.
ArtExpo, Las Vegas, Nevada, U.S.A.
The Long Island Art Fair, Long Island, New York, U.S.A.
Salon des Galeries d'Art du Québec, Montreal, Canada

1994 ArtExpo, New York, New York, U.S.A.
Cobblestone Gallery, La Fayette, Louisiana, U.S.A.
ABC Show, Atlanta, Georgia, U.S.A.
ArtExpo, Las Vegas, Nevada, U.S.A.
Hight Point Market, Hight Point, North Carolina, U.S.A.

1993 ArtExpo, Anaheim, California, U.S.A.
ArtExpo, Chicago, Illinois, U.S.A.
Galerie "La Baie" Montréal, Quebec, Canada
Galerie Diane Lefrançois, Sillery, Quebec, Canada
Pierre B. Fine Art, " Chez Pierre " Montréal, Quebec, Canada
ArtExpo, New York, New York, U.S.A.
Tokyo International Art Show, Tokyo, Japan

1992 Langdon Art Works, Dobbs Ferry, New York, U.S.A.

Limited Edition Expo, Charlotte, North Carolina, U.S.A.

Ginza Kanematsu Hall, Tokyo, Japan

Kintetsu Department Store, Yokkaichi, Japan

Atelier Hirata, Grand Hotel, Fukuoka, Japan

Nihon Gallery, Nagoya, Japan

Gallery Yubido, Tokyo, Japan

Gallery Nishimura, Kobe, Japan

James Hunt Barker Gallery, Nantucket, Massachusetts, U.S.A.

ArtExpo, Los Angeles, California, U.S.A.

ArtExpo, New York, New York, U.S.A.

Tokyo International Art Show, Tokyo, Japan

Toronto International Art Exhibition, Toronto, Ontario, Canada

1991 James Hunt Barker Gallery, Nantucket, Massachusetts, U.S.A.

ArtExpo, Los Angeles, California, U.S.A.

ArtExpo, New York, New York, U.S.A.

Tokyo International Art Show, Tokyo, Japan

Paris Atelier d'Art Show, Paris, France

1990 La Jolla Festival of the Arts, La Jolla, California, U.S.A.

ArtExpo, Los Angeles, California, U.S.A.

ArtExpo, New York, New York, U.S.A.

Paris Atelier d'Art Show, Paris, France

1989 Gala, Galerie d'Art, Trois-Rivières, Quebec, Canada

ArtExpo, Los Angeles, California, U.S.A.

ArtExpo, New York, New York, U.S.A.

Robertson Gallery, Beverly Hills, California, U.S.A.

1988 Galerie McKinnon & Piché, Lévis, Quebec, Canada

New Scotia Bank, Sainte-Foy, Quebec, Canada

The Athenaeum, Music & Art Library, La Jolla, California, U.S.A.

1987 Château Mont-Sainte-Anne, Beaupré, Quebec, Canada

National Bank of Canada, Lévis, Quebec, Canada

The Montreal Art Exchange, Montréal, Quebec, Canada

Corporation of Chartered Management Accountants, Montréal, Quebec, Canada

Corporation of Chartered Administrators, Montréal, Quebec, Canada

Témoignages / Testimonies

Je trouve, encore et toujours, avec le même plaisir d'émerveillement ce que j'avais senti dès les premières toiles de Guy Bégin : sa fraîcheur, sa touche joyeuse et vibrante, son désir de dépassement, qualités qui témoignent de la richesse de tout son être.

Peintre dynamique et fonceur, Guy Bégin a osé. D'un pinceau déterminé, il étire sa ligne d'horizon, et peint son avenir... en couleurs !

Diane Lefrançois
Galerie d'Art Diane Lefrançois
Sillery, Québec

Avec mes yeux d'enfant, je ne voyais qu'un homme d'affaires en mon père et non un artiste peintre. Avec les années, j'ai compris qu'il est non seulement un père extraordinaire, mais un grand artiste.

J'ai justement la chance de faire valoir son talent à des gens de chaque coin du monde, et c'est ce qui me rend le plus fière.

Karine Bégin

J'ai imprimé Parfum de bonheur, *la première sérigraphie de Guy Bégin, en 1989. Aujourd'hui, en 1997, avec plus de 58 éditions de Guy à mon actif on peut dire que je connais bien son œuvre. J'ai donc suivi son évolution. Ses tableaux sont de plus en plus travaillés et je dois maintenant imprimer ses sérigraphies avec un plus grand nombre de couleurs afin de bien rendre son style impressionniste.*

Pierre Auger
Sérigraphe
Québec

J'ai toujours été fier de mon père. Très jeune il a été la preuve pour moi qu'un rêve peut devenir réalité quand on y met tout son cœur. Ses toiles sont le reflet de sa détermination, de sa discipline et de son enthousiasme. C'est un réel plaisir de travailler auprès de lui.

Patrick Bégin

Guy Bégin's paintings
are a breath of spring,
a window of light and a
constant dose of happiness
in a rather bland world.
My Montecito home
is honored to have them
in residence.

Nancie Taylor
Nantucket, Mass.

Guy, c'est l'ami sincère, discret, dévoué, comme les vrais amis savent l'être... C'est l'artiste en qui bouillonnent des idées, des couleurs, des paysages, des fleurs... Ses toiles reflètent ce qu'il est : clarté, lumière et limpidité. Comme les plus grands..., plus apprécié au loin que chez lui...

Guy c'est tout ça, et beaucoup plus.

Claude Gervais
Lévis, Québec

In the early 1990s, Guy Bégin was invited by Sanwa Corporation, a Japanese distributor of paintings and prints, to hold several one-man shows and signings across Japan. This was an excellent start for him to become a popular artist known as "The Painter of Perfumes" in Japan.

Since then, his gentle and sincere personality, as well as his works represented by a combination of floral, gardenesque and seascapes and vibrant colours have been enthrolling the Japanese people.

MR. KAJIKAMI
SANWA CORPORATION
OSAKA, JAPAN

It has now been just over three years since we added your works to our portfolio of artists. I am only too happy to share with you today that the response to your imagery is growing every year with our client base. Our "Painter of Perfumes" collectors are always thrilled with their acquisitions of your works.

Moreover, Guy, I have always found it a pleasure doing business with you and your organization. Here's to our long and continuing friendship and profitable business relationship!

KEN SHORE
GALERIE CONCORDE INC.
MONTREAL, QUÉBEC

１９９０年代の初め、ギイ・ベガン氏は日本における絵画及び版画のディストリビューターである三和コーポレーションの招きにより日本各地でワンマンショー及びサイン会を催した。これは同氏が"芳香の画家" として日本で人気を得る良いきっかけとなった。
それ以来、 ベガン氏の花・庭・海のモチーフと感性豊かな色彩のコンビネーションに代表される彼の作品は彼の優しく誠実な人柄と相まって日本の人々の心をとらえています。

Guy Gegin: ギイ・ベガン
The Painter of Perfume: 芳香の画家

The Olfactory Research Fund was pleased, indeed, to have Guy Bégin, the "Painter of Perfumes", lend his considerable talents to our first advertising campaign. Who but Mr. Bégin could have so perfectly combined the visual and olfactory arts in one perfect rose!

ANNETTE GREEN, PRESIDENT
OLFACTORY RESEARCH FUND
NEW YORK CITY, N.Y.

I first met Guy Bégin in March of 1993 at ArtExpo New York. I was introduced to his new release, "Symphonie de fleurs" and to the man who created such wonderful landscapes, with brilliant colors that indeed pleased the eyes so well, you could smell the flowers. Over the period I have known Guy and his art, I have fallen in love with both. It would be unthinkable that such beauty could be created by a man any less beautiful than his art.

RICHARD CHAMBERLAIN
DIRECTOR, ARTEXPO
CLEVELAND, OHIO

Parfum du parc
1990
42" x 48" / 107 cm x 122 cm

Parfum de mon jardin II
1990
36" x 42" / 91,4 cm x 107 cm

Parfum de mon jardin V
1992
36" x 42" / 91,4 cm x 107 cm

Parfum de mon jardin XV
1996
14" x 18" / 35,6 cm x 45,7 cm

Parfum de mon jardin XVI
1997
16" x 20" / 40,6 cm x 51 cm

Symphonie de fleurs XIII
1994
30" x 24" / 76 cm x 61 cm

Parfum d'un jardin imaginaire
1992
36" x 48" / 91,4cm x 122cm

Parfum d'un jardin de rêve II
1995
30" x 40" / 76 cm x 101,6 cm

Springtime Perfume II
1995
30" x 48" / 76 cm x 122 cm

Parfum d'un jardin de rêve
1995
48" x 60" / 122 cm x 152,4 cm

En souvenir de ma mère
1961
18" x 24" / 47 cm x 61 cm

La maison au toit rouge
1984
5" x 7" / 12,7 cm x 17,8 cm

Le bonheur
1985
20" x 24" / 51 cm x 61 cm

Au-delà du visible
1987
36" x 24" / 91,4 cm x 61 cm

Parfum d'amitié
1991
22" x 30" / 56 cm x 76 cm

Un air rétro
1987
48" x 48" / 122 cm x 122 cm

Le vieux jazzman
1987
24" x 38" / 61 cm x 96,5 cm

Balboa Park
1988
30" x 48" / 76 cm x 122 cm

Les fleurs du bonheur II
1988
48" x 30" / 122 cm x 76 cm

Parfum de bonheur
1989
24" x 20" / 61 cm x 51 cm

La Jolla Perfume
1990
42" x 48" / 107 cm x 122 cm

Joie de Vivre Perfume
1991
24" x 30" / 61 cm x 76 cm

Parfum d'un jardin d'hiver
1994
30" x 40" / 76 cm x 101,6 cm

Symphonie de fleurs VII
1993
24" x 20" / 61 cm x 51 cm

Symphonie de fleurs XVI
1995
8" x 30" / 20,3 cm x 76 cm

Parfum du Petit-Champlain VI
1997
10" x 30" / 25,4 cm x 76 cm

Parfum d'une soirée de gala
1993
20" x 24" / 51 cm x 61 cm

Parfum de la femme en bleu
1993
30" x 10" / 76 cm x 25,4 cm

Un parfum dingue
1993
20" x 10" / 51 cm x 25,4 cm

Parfum de Québec III
1997
24" x 30" / 61 cm x 76 cm

Parfum de Québec VI
1997
20" x 27" / 51 cm x 68,6 cm

Parfum du dimanche
1990
36" x 54" / 91,4 cm x 137,2 cm

Parfum de l'Atlantique
1989
30" x 36" / 76 cm x 91,4 cm

Nantucket Gardens Perfume VI
1991
30" x 40" / 76 cm x 101,6 cm

Parfum du Vermont
1994
20" x 24" / 51 cm x 61 cm

Morning Reflections Perfume
1996
60" x 36" / 152,4 cm x 91,4 cm

Parfum de Cataraqui
1996
36" x 48" / 91,4 cm x 122 cm

Florida Perfume
1990
30" x 40" / 76 cm x 101,6 cm

California Perfume
1990
36" x 36" / 91,4 cm x 91,4 cm

Parfum de Tanglewood A
1991
30" x 36" / 76 cm x 91,4 cm

Parfum de Tanglewood B
1991
30" x 36" / 76 cm x 91,4 cm

Sur la rue des ursulines
1989
20" x 24" / 51 cm x 61 cm

Parfum d'une musique pétillante
1994
42" x 42" / 106,7 cm x 106,7 cm

Parfum de la cuisine parisienne
1995
30" x 10" / 76 cm x 25,4 cm

Parfum de la cuisine provençale
1995
30" x 10" / 76 cm x 25,4 cm

Parfum du domaine
1996
11" x 14" / 27,9 cm x 35,6 cm

Parfum des beaux jours
1991
30" x 22" / 76 cm x 56 cm

Parfum d'Aix-en-Provence
1995
24" x 20" / 61 cm x 51 cm

Parfum du Midi
1990
24" x 20" / 61 cm x 51 cm

Parfum de Provence
1990
36" x 48" / 91,4 cm x 122 cm

Parfum de la Traviata
1996
30" x 10" / 76 cm x 25,4 cm

Parfum des îles Borromées
1996
48" x 72" / 122 cm x 183 cm

Parfum de Stresa II
1996
21" x 27" / 53,3 cm x 68,6 cm

Giverny Symphony
1994
30" x 10" / 76 cm x 25,4 cm

Parfum d'un party d'été
1994
30" x 10" / 76 cm x 25,4 cm

Parfum de France
1990
24" x 30" / 61 cm x 76 cm

Parfum de Haute–Savoie
1994
60" x 36" / 152,4 cm x 91,4 cm

Parfum du soleil et de lavande
1992
40" x 30" / 101,6 cm x 76 cm

Big Apple Perfume
1994
84" x 48" / 213,4 cm x 122 cm

Rose Aimée
1993
36" x 36" / 91,4 cm x 91,4 cm

Parfum de la Méditerranée
1991
42" x 48" / 107 cm x 122 cm

Parfum de la ferme
1996
16" x 20" / 40,6 cm x 51 cm

Parfum de la Beauce
1996
36" x 48" / 91,4 cm x 122 cm

Light in the Night Perfume
1997
24" x 30" / 61 cm x 76 cm

Curtis Island Perfume
1997
30" x 36" / 76 cm x 91,4 cm

Pemaquid Light Perfume
1996
36" x 48" / 91,4 cm x 122 cm

Parfum d'un été de rêve
1995
36" x 48" / 91,4 cm x 122 cm

Napa Valley Perfume III
1997
36" x 48" / 91,4 cm x 122 cm

Sonoma Perfume
1997
36" x 42" / 91,4 cm x 106,7 cm

Napa Sunset Perfume
1997
60" x 36" / 152,4 cm x 91,4 cm

Couverture des médias / Media coverage

Répertoires / Guides

- 200 visions nouvelles de peintres du Québec, Louis Bruens, Éditions La Palette, 1990, p. 56-57.
- 106 professionnels de la peinture, Peintres et galeries d'art du Québec, Louis Bruens, Éditions La Palette, 1991, p. 222-223.
- Peinture, Culture et Réalités québécoises, Louis Bruens, Éditions La Palette, 1992, p. 17-73
- Guide Vallée, *Marché de l'art/Fine Art Market*, Edition 111, Biographies et quotes de 1 570 artistes/ Biographies & market value of 1,570 artists, p. 175.
- Guide de Roussan, *Peintres du Québec, Évaluation en galeries*, 1997, 4e édition/4th Edition, p. 25.
- Répertoire biennal des artistes canadiens en galeries /Biennal Guide to Canadian artist in galleries, MAGAZIN'ART, 1996-1997, Editart International, p. 48.
- Art Print Index 1997, San Ramon, Calif., p. 19-84.

Revues / Magazines

- *Le Chef*, Saint-Étienne-de-Lauzon, Canada
  Article, photo
  Mai-juin 1990/May-June, 1990
- *Preview Magazine*, Exeter, N.H., États-Unis/U.S.A.
  Mention, photo
  Automne 1990/Autumn, 1990
- *Justice*, Montréal, Canada
  Mention, photo
  Été 1991/Summer, 1991
- *Magazin'Art*, Montréal, Canada
  Mention, photo
  Automne 1991/Autumn, 1991
- *Art Business News*, N.Y., États-Unis/U.S.A.
  Mention, photo
  Février 1992/February, 1992
- *US Art*, Minneapolis, M.N., États-Unis/U.S.A.
  Article, photo
  Avril 1992/April, 1992
- *Preview Magazine*, Exeter, N.H., États-Unis/U.S.A.
  Mention, photo
  Août-septembre 1992/August-September, 1992
- *Fragrance Forum*, N.Y., États-Unis/U.S.A.
  Article, photo
  Automne 1992/Autumn, 1992
- *Preview Magazine*, Exeter, N.H., États-Unis/U.S.A.
  Mention, photo
  Février 1993/February, 1993
- *Manhattan Arts*, N.Y., États-Unis/U.S.A.
  Article, photo
  Mars 1993/March, 1993
- *Art Business News*, N.Y., États-Unis/U.S.A.
  Mention, photo
  Mai 1993/May, 1993
- *Le Guide de Montréal*, Montréal, Canada
  Mention, photo
  Juillet-août-septembre 1993/July-August-September, 1993
- *Preview Magazine*, Exeter, N.H., États-Unis/U.S.A.
  Mention, photo
  Octobre 1993/October, 1993
- *Art Beat*, Montréal, Canada
  Article, photo
  Automne 1993/Autumn, 1993
- *Caisse populaire Desjardins (Bienville)*, Lévis, Canada
  Mention, photo
  Rapport annuel 1993/Annual Report, 1993
- *Parkurst Exchange*, Montréal, Canada
  Article, photo
  Mai 1994/May, 1994
- *L'actuel Horticole*, Québec, Canada
  Mention, photo
  Été 1994/Summer, 1994
- *Preview Magazine*, Exeter, N.H., États-Unis/U.S.A.
  Mention, photo
  Automne 1994/Autumn, 1994
- *Cosmetic World*, Royaume-Uni/U.K.
  Article, photo
  12 décembre 1994/December 12, 1994
- *Sun Storm Fine Art*, Ronkonkoma, N.Y., États-Unis/ U.S.A.
  Article, photo
  Printemps 1995/Spring, 1995
- *Allô Vedettes*, Montréal, Canada
  Mention, photo
  21 octobre 1995/October 21, 1995
- *Le Bel Âge Magazine*, Montréal, Canada
  Article
  Décembre 1995/December, 1995
- *Magazin'Art*, Montréal, Canada
  Article, photo
  Janvier 1996/January, 1996

- *Art Trends*, Manalapan, N.J., États-Unis / U.S.A.
  Mention, photo
  Janvier-février 1996 / January-February, 1996
- *Clin D'Œil*, Montréal, Canada
  Mention dans Chronique Etchetera /
  Mention in the Chronique Etchetera
  Février / February 1996, 1996
- *Art Business News*, N.Y., États-Unis / U.S.A.
  Mention, photo
  Février 1996 / February, 1996
- *Fleurs, Plantes et Jardins*, Montréal, Canada
  Mention, photo sur les produits dérivés /
  Mention, photo on gift's products
  Février-mars 1996 / February-March, 1996
- *Les idées de ma maison*, Montréal, Canada
  Article
  Mars 1996 / March, 1996
- *Where New York*, N.Y., États-Unis / U.S.A.
  Mention, photo
  Mars 1996 / March, 1996
- *Money*, N.Y., États-Unis / U.S.A.
  Mention, photo
  Mai-juin 1996 / May-June, 1996
- *Business Week*, Washington, D.C., États-Unis / U.S.A.
  Mention, photo
  Mai-juin 1996 / May-June, 1996
- *Kiplingers*, N.Y., États-Unis / U.S.A.
  Mention, photo
  Mai-juin 1996 / May-June, 1996
- *Bon Appetit*, N.Y., États-Unis / U.S.A.
  Mention, photo
  Mai-juin 1996 / May-June, 1996
- *Country Living*, N.Y., États-Unis / U.S.A.
  Mention, photo
  Mai-juin 1996 / May-June, 1996
- *House Beautiful*, N.Y., États-Unis / U.S.A.
  Mention, photo
  Mai-juin 1996 / May-June, 1996
- *Newsweek*, N.Y., États-Unis / U.S.A.
  Mention, photo
  Mai-juin 1996 / May-June, 1996
- *Sports Illustrated*, N.Y., États-Unis / U.S.A.
  Mention, photo
  Mai-juin 1996 / May-June, 1996
- *Time*, N.Y., États-Unis / U.S.A.
  Mention, photo
  Mai-juin 1996 / May-June, 1996
- *U.S. News And World Report*, Washington, D.C.,
  États-Unis / U.S.A.
  Mention, photo
  Mai-juin 1996 / May-June, 1996
- *The Art Collector*, Exeter, N.H., États-Unis / U.S.A.
  Article, photo
  Juin 1996 / June, 1996
- *Art Business News*, N.Y., États-Unis / U.S.A.
  Article, photo
  Juin 1996 / June, 1996
- *Ocean Drive*, Miami, Fla., États-Unis / U.S.A.
  Mention, photo
  Juin 1996 / June, 1996
- *Magazine Île des Sœurs*, Montréal, Canada
  Mention, photo
  4 au 10 octobre 1996 / October 4 to 10, 1996
- Wine / Dine Gourmet Magazine, Los Angeles, Calif.,
  États-Unis / U.S.A.
  Mention, photo
  Octobre 1996 / October, 1996
- *Preview Magazine*, Exeter, N.H., États-Unis / U.S.A.
  Mention, photo
  Septembre-octobre 1996 / September-October, 1996
- Art Business News, N.Y., États-Unis / U.S.A.
  Mention, photo
  Décembre 1996 / December, 1996
- *Magazine Quartier Petit Champlain*, Québec, Canada
  Mention, photo
  1996-1997
- *Art Business News*, N.Y., États-Unis / U.S.A.
  Mention, photo
  Février 1997 / February, 1997
- *Cellier des Dauphins*, Montréal, Canada
  Mention, photo
  8 avril 1997 / April 8, 1997
- *Magazin'Art*, Montréal, Canada
  Article, photo
  Printemps 1997 / Spring, 1997
- *Art World News*, Rowayton, Conn., États-Unis /
  U.S.A.
  Mention, photo
  Août 1997 / August, 1997
- *Specialty Retail Report*, Norwell, Mass., États-Unis /
  U.S.A.
  Mention, photo
  Été 1997 / Summer, 1997

JAPON / JAPAN

- Mentions, photos pour publicités de Sanwa Corp./ Mentions, photos in Sanwa Corp ads
- Gallery Guide Book – septembre 1990/ September, 1990
- A.R.S. NOVA – février 1992/February, 1992
- Nikkei Art – janvier 1992/January, 1992
- Gekkan Bijutsu –
  No. 181 octobre 1990/October, 1990
  No. 182 novembre 1990/November, 1990
  No. 183 décembre 1990/December, 1990
  No. 192 septembre 1991/September, 1991
  No. 196 janvier 1992/January, 1992
  No. 246 mars 1996/March, 1996
- Gallery Guide Book –
  mars 1996/March, 1996
  août 1997/August, 1997
- Nicat – janvier 1997/January, 1997

JOURNAUX / NEWSPAPERS

- *Le Soleil,* Québec, Canada
  Article, photo
  Octobre 1987/October, 1987
- *Le Peuple Tribune,* Lévis, Canada
  Article, photo
  25 octobre 1988/October 25, 1988
- *Le Soleil,* Québec, Canada
  Mention
  22 décembre 1988/December 22, 1988
- *L'Appel,* Sainte-Foy, Canada
  Article
  18 septembre 1989/September 18, 1989
- *Le Soleil,* Québec, Canada
  Mention, photo
  20 septembre 1989/September 20, 1989
- *Le Nouvelliste,* Trois-Rivières, Canada
  Article, photo
  4 novembre 1989/November 4, 1989
- *Le Soleil,* Québec, Canada
  Mention
  20 mai 1990/May 20, 1990
- *Le Peuple Tribune,* Lévis, Canada
  Mention, photo
  22 mai 1990/May 22, 1990
- *Le Journal de Québec,* Québec, Canada
  Article, photo
  4 novembre 1990/November 4, 1990
- *Le Peuple,* Lévis, Canada
  Mention, photo
  25 juin 1991/June 25, 1991
- *Le Soleil,* Québec, Canada
  Article
  21 janvier 1992/January 21, 1992
- *Le Journal de Québec,* Québec, Canada
  Article, photo
  10 février 1992/February 10, 1992
- *Rive Sud Express,* Lévis, Canada
  Article, photo
  11 avril 1995/April 11, 1995
- *Le Journal de Québec,* Québec, Canada
  Mention, photo
  17 avril 1993/April 17, 1993
- *Le Soleil,* Québec, Canada
  Article, photo
  19 avril 1993/April 19, 1993
- *Le Peuple,* Lévis, Canada
  Article, photo
  Avril 1993/April, 1993
- *Le Peuple Tribune,* Lévis, Canada
  Mention 1993/August 14, 1993
- *Le Peuple Tribune,* Lévis, Canada
  Mention, photo
  25 décembre 1993/December 25, 1993
- *Habitabec,* Québec, Canada
  Mention, photo
  15 avril 1994/April 15, 1994
- *Le Soleil,* Québec, Canada
  Article
  13 septembre 1994/September 13, 1994
- *Le Journal de Québec,* Québec, Canada
  Mention
  7 février 1995/February 7, 1995
- *Le Soleil,* Québec, Canada
  Article, photo
  10 février 1995/February 10, 1995

- *Le Peuple Tribune,* Lévis, Canada
  Article, photo
  11 février 1995/February 11, 1995
- *Le Journal Économique,* Québec, Canada
  Mention, photo
  27 août 1995/August 27, 1995
- *Le Journal de Montréal,* Montréal, Canada
  Mention
  19 octobre 1995/October 19, 1995
- *Le Journal de Québec,* Québec, Canada
  Mention, photo
  21 octobre 1995/October 21, 1995
- *The Gazette,* Montréal, Canada
  Article
  28 octobre 1995/October 28, 1995
- *Le Journal Économique,* Québec, Canada
  Article, photo
  Octobre 1996/October, 1996
- *Le Soleil,* Québec, Canada
  Mention, photo
  5 mai 1997/May 5, 1997
- *Le Peuple Tribune,* Lévis, Canada
  Article, photo
  17 mai 1997/May 17, 1997
- *Le Journal de Québec,* Québec, Canada
  Mention, photo
  Mai 1997/May, 1997
- *Le Soleil,* Québec, Canada
  Mention, photo
  7 juin 1997/June 7, 1997
- *Tourist News,* Southern Maine, États-Unis/U.S.A.
  Mention, photo
  10 et 17 juillet 1997/July 10 and 17, 1997

Liste des tableaux / List of Paintings

Achevé d'imprimer en octobre 1997
sur les presses de
l'imprimerie La Renaissance
à Québec, Canada

Printed in October 1997
by Imprimerie La Renaissance
Québec, Canada